EL DÍA que los CRAYONES RENUNCIARON

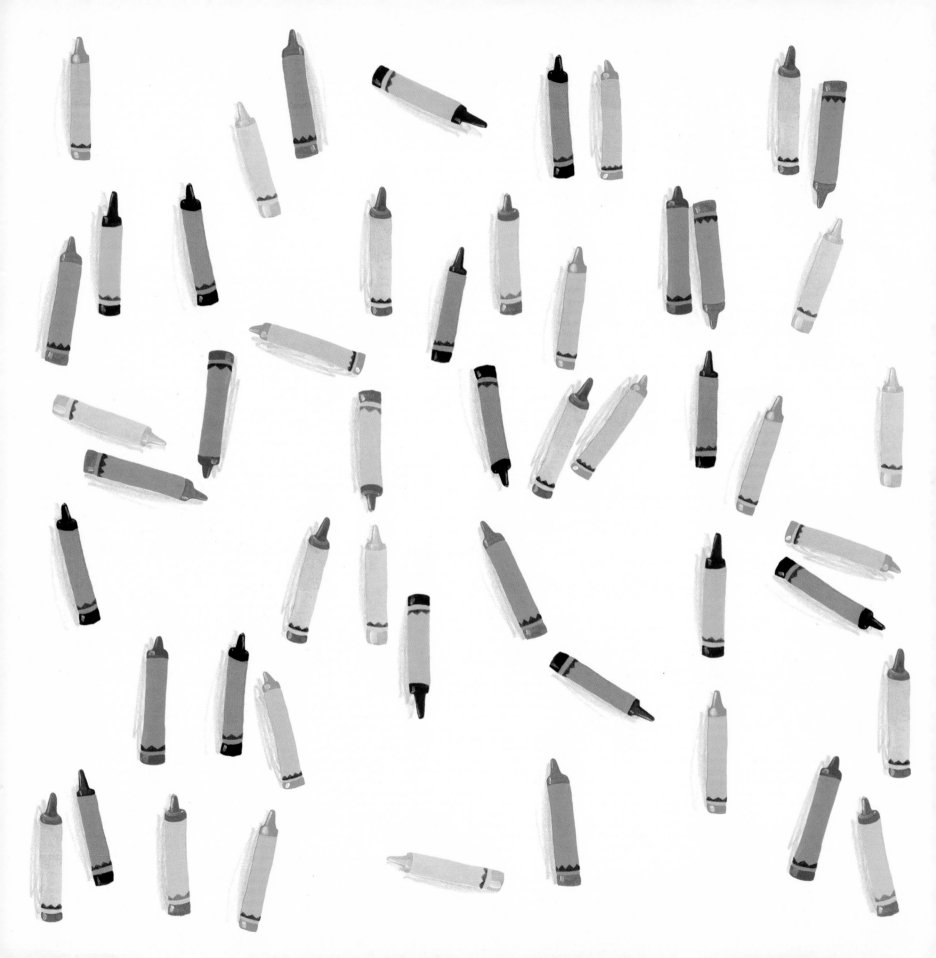

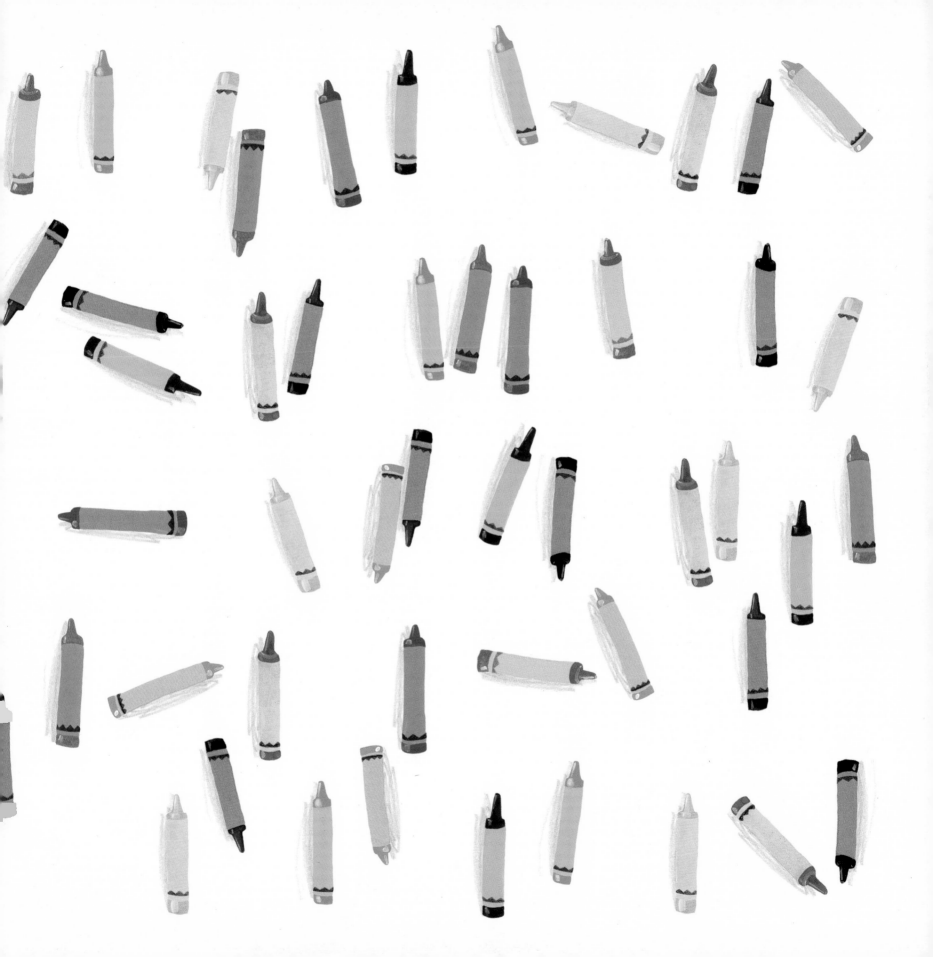

A Marichelle, Abigail y Reese
D.D.

A Ewan
O.J.

EL DÍA que los CRAYONES RENUNCIARON

12 PIEZAS

CRAYONES

No somos felices

por DREW DAYWALT

ILUSTRADO por OLIVER JEFFERS

Scholastic Inc.

Un día, en la escuela, cuando
Duncan iba a sacar sus crayones,
encontró un montón de cartas
con su nombre.

Hola, Duncan:

Soy yo, Crayón ROJO. NECESITAMOS hablar.

Me haces trabajar más duro que a cualquiera de tus otros crayones. Todo el año me desgasto coloreando CAMIONES de BOMBEROS, MANZANAS, fresas y CUALQUIER COSA que sea ROJA.

¡Trabajo hasta en vacaciones! Además, ¡tengo que dibujar todos los SANTAS en Navidad y TODOS los CORAZONES en San Valentín! ¡NECESITO UN DESCANSO!

El más ocupado de tus amigos,

CRAYÓN ROJO

Querido Duncan:

Muy bien, ESCUCHA.

Me encanta ser tu crayón favorito para las uvas, dragones y sombreros de mago, pero no soporto que mi hermoso color se gaste fuera de las líneas. SI NO EMPIEZAS PRONTO A COLOREAR DENTRO de las líneas... vas a volverme LOCO.

Tu muy ordenado amigo,

Crayón **Morado**

Querido Duncan:

Estoy harto de que me llamen "café claro" o "color hueso" porque no soy nada de eso.

Soy BEIGE y estoy orgulloso de serlo. También estoy cansado de ser el segundón del Señor Crayón Café.

No es justo que él se lleve todos los osos, ponis y cachorros, mientras que lo único que me toca son los pavos para la cena (si tengo suerte) y el trigo. Y seamos honestos, ¿cuándo fue la última vez que viste a un niño emocionado por pintar trigo?

Tu amigo BEIGE,

Crayón Beige

Duncan:

Soy Crayón Gris. ¡Me ESTÁS MATANDO!
Sé que amas a los elefantes. Y que los
elefantes son grises... Pero es DEMASIADO
espacio para colorearlo todo yo solo.
Y ni qué decir de los rinocerontes,
hipopótamos y BALLENAS JOROBADAS...
¿Sabes lo cansado que termino después
de rellenar esas cosas?
Animales tan GRANDES...
Los pingüinos bebés son grises,
¿sabías? También las piedritas...
los guijarros.
¿Qué tal si pinto uno de ésos de vez
en cuando para descansar?

↙ Tu exhausto amigo,
Crayón Gris

Querido Duncan:

Me usas para colorear, pero
¿Por qué? Casi siempre soy
del mismo color de la página
en la que me usas: BLANCO.
Si en mi etiqueta no hubiera
una raya negra, ¡ni notarías
que estoy ahí! Ni siquiera
aparezco en el arcoíris. Sólo
me usan para colorear la

NIEVE o para llenar el
espacio vacío entre las
cosas. Y esto me hace
sentir... mmm... vacío.
Necesitamos hablar.

Tu amigo vacío,
Crayón Blanco

Gato blanco
en la nieve.
Por Duncan

Hola, Duncan:

ODIO que me usen para dibujar el contorno de las cosas... ✗ cosas que por dentro son de otros colores, ¡que se creen más brillantes que yo! NO ES JUSTO que me uses para hacer el contorno de una bonita pelota de playa y que después la rellenes con los colores de TODOS LOS DEMÁS CRAYONES. ¿Por qué no pintar una pelota de playa NEGRA alguna vez? ¿Es mucho pedir?

Tu amigo,

Crayón Negro

Querido Dyncan:

Soy Crayón Verde y te escribo por dos razones. Una es para decirte que me encantan mis trabajos cuando hago cocodrilos, árboles, dinosaurios y ranas. No tengo ningún problema y quiero felicitarte por tu exitosa carrera "coloreando cosas verdes".

La segunda razón por la que te escribo son mis amigos, Crayón Amarillo y Crayón Naranja, pues ya no se hablan. Los dos piensan que deberían ser el color del sol.

Por favor arregla pronto este asunto, porque ¡nos están volviendo LOCOS!

Tu feliz amigo,
Crayón Verde

Querido Duncan:

Soy Crayón Amarillo. Necesito que le digas a Crayón Naranja que _yo_ soy el color del sol. Yo se lo diría, pero ya no nos hablamos. ¡Además puedo PROBAR que soy el color del sol! El martes pasado me usaste para iluminar el sol en tu libro para colorear: _La granja feliz._ Por si se te olvidó, está en la página 7. No puedes dejar de verme. ¡Mi color brilla resplandeciente sobre un campo de maíz AMARILLO!

Tu amigazo (y verdadero color del sol),

Crayón Amarillo

La granja feliz

Querido Duncan:

Veo que Crayón Amarillo ya habló contigo, el GRAN CHISMOSO. No importa, ¿podrías aclararle al señor soplón que él NO ES el color del sol? Yo lo haría, pero ya no nos hablamos. Los dos sabemos claramente que yo soy el color del sol, pues el jueves me usaste para colorearlo en las páginas "la isla del mono" y "conoce al guardián del zoológico" de tu libro para colorear: Un día en el ZOOLÓGICO. ¿No te alegra tenerme aquí? ¡Ja!

Tu camarada (y verdadero color del sol),

Crayón Naranja

Conoce al guardián
del zoológico

La isla del mono

Querido Duncan:

Es genial haber sido tu color FAVORITO durante este año. Y el anterior. ¡Y también el anterior a  ÉSE!
He disfrutado en serio todos los OCÉANOS, LAGOS, RÍOS, gotas de lluvia y cielos DESPEJADOS.
La MALA NOTICIA es que ya estoy tan corto y rechoncho que ni siquiera alcanzo a ver por el borde de la CAJA DE CRAYONES...
¡Necesito un DESCANSO!

Tu amigo rechoncho,
Crayón Azul

Duncan:

¡ESCUCHA, NIÑO!
No me has utilizado ni UNA sola vez ←
en el año. ¿Es porque crees que soy
un color para NIÑAS, verdad? Y hablando
de eso, por favor dile a tu hermanita
que le agradezco por usarme en su
libro para colorear: Linda PRINCESA.
¡Pienso que hizo un trabajo fabuloso
sin salirse de la raya!
Regresando a lo nuestro. ¿Podrías
POR FAVOR usarme de vez en cuando
para colorear algún DINOSAURIO o
MONSTRUO o VAQUERO rosa? No les
caería mal un poco de color.

Tu no-usado amigo,
Crayón Rosa

Oye, Duncan:

Soy yo, CRAYÓN DURAZNO.
¿Por qué me quitaste mi envoltura?
Ahora estoy DESNUDO y me da pena
salir de la caja de crayones.
¡Ni siquiera tengo ~~##~~ ropa interior!
¿TE gustaría ir desnudo a la escuela?
Necesito cubrirme.
¡AYUDA!

Tu desnudo amigo,
Crayón DURAZNO

DUNCAN

DUNCAN

Querido D...
Soy Crayón A...
a Crayón Nara...
el sol. Yo se...
...amos. ¡Adem...
...color del sol...
...te para il...
...ra colo...
...olvi...

...verdadero color del sol...
...¿los pe...
"¡Un día de...
...te alegra tenerme...

...el zoológico "...
...color coloreado...
...color del so...
...a sol...

Amé...
pues qu...
piensan q...
color del s...
Por favor o...
asunto, p...
LOCOS!

Regresan...
POR FAVOR...
para colorea...
MONSTRUO...
caería mal un poco de color.

Tu no-usado amigo,
Crayón Rosa

que y...
para hacer el...
pelota de P.?
rellenes...
TODOS...
¿Por qué...
plaq...
¿E...
...rosa? No les

...AS PRONTO A...
...este fuera de...
...pero no soporto...
...ito para las uvas.

Tu amigo BEIGE,
Crayón Beige

Monstruo...
Es... perado...
¿Es...
...A par...
ESTÁ...

El pobre Duncan sólo quería colorear...
y, por supuesto, también quería que sus
crayones fueran felices. Esto le dio una idea.

Cuando Duncan le enseñó a su profesora su nuevo dibujo,
ella le puso una etiqueta de "buen trabajo" por colorear...

¡y una estrella dorada por su creatividad!

The art of this book was made with... um... crayons.

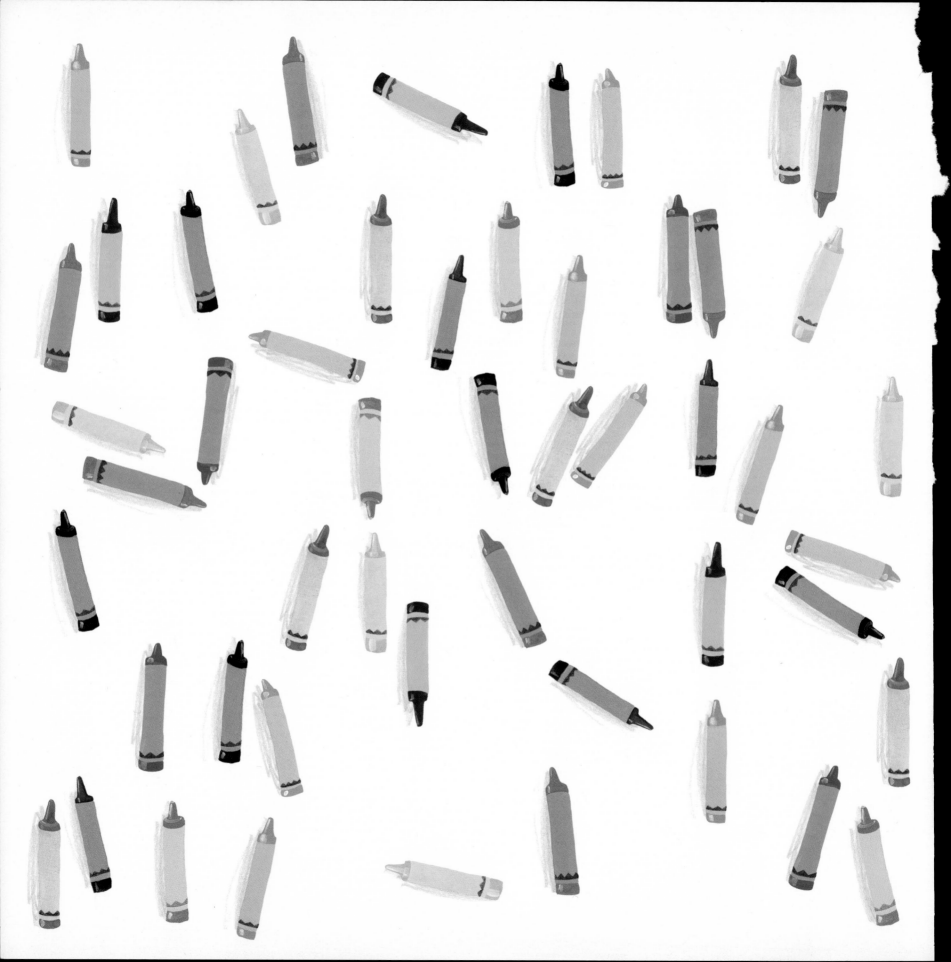

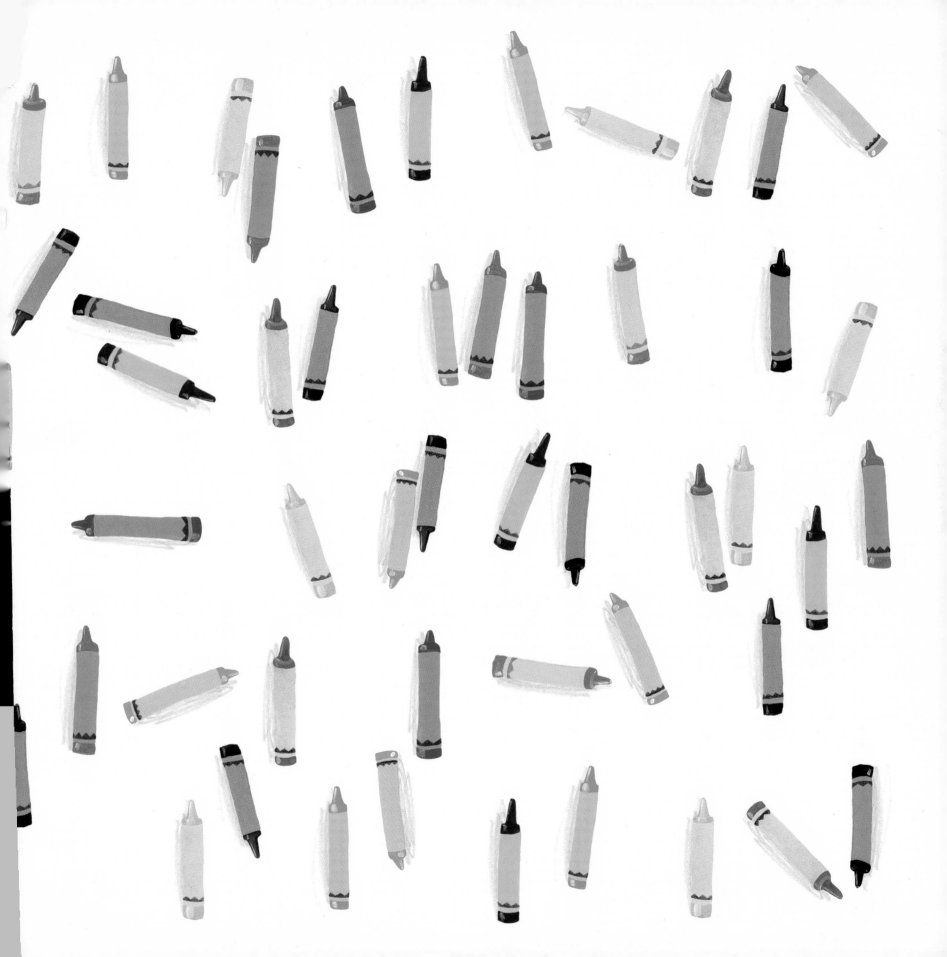

DREW DAYWALT es un galardonado escritor
y director de cine y televisión. Su trabajo ha aparecido en
Disney, MTV, FEARnet y Syfy. Vive en el sur de California
con su esposa y dos hijos. Su color de crayón favorito es el
negro, aunque siempre usa los otros para que no vayan a
renunciar.

OLIVER JEFFERS hace arte para niños y adultos.
Sus libros ilustrados, entre los que se encuentran *Atrapados*,
Perdido y encontrado, *El encreíble niño comelibros* y *Este
alce es mío*, han recibido reseñas destacadas y han estado
en la lista de bestsellers del *New York Times*. Oliver
también recibió el premio del *New York Times* al libro
mejor ilustrado por *The Hueys in: The New Sweater*. Nacido
en Belfast, Irlanda del Norte, Oliver vive y hace arte en
Brooklyn, Nueva York. Su color favorito es el de rayas.

www.OliverJeffersWorld.com

www.facebook.com/oliverjeffersart